Au loup !

La raison du plus fort est toujours la meilleure :
Nous l'allons montrer tout à l'heure.

Jean de La Fontaine

Les Enquêtes de Joséphine la Fouine 3

Au loup !

texte de Paule Brière
illustrations de Jean Morin

Les Éditions du Boréal remercient le Conseil des Arts du Canada
ainsi que le ministère du Patrimoine canadien et la SODEC
pour leur soutien financier.

Dépôt légal : 1er trimestre 2000
Bibliothèque nationale du Québec

Diffusion au Canada : Dimedia
Distribution et diffusion en Europe : Les Éditions du Seuil

Données de catalogage avant publication (Canada)
Brière, Paule

Au loup !

(Boréal Maboul)

(Les Enquêtes de Joséphine la Fouine ; 3)

Pour enfants de 6 à 8 ans.

ISBN 2-7646-0018-6

I. Morin, Jean, 1959- . II. Collection. III. Collection : Brière,
Paule. Enquêtes de Joséphine la Fouine ; 3.

PS8553.R453A9 2000 jC843'.54 C99-941908-0
PS9553.R453A9 2000
PZ23.B74Au 2000

1

Trois moutons

Le jour se lève au village de Lafontaine. Le coq chante et ses voisins lui crient de se taire. Mais le coq s'en moque. Il continue son cocorico et tous les animaux sont obligés de se réveiller. Tous, sauf la brebis.

Mère Brebis ne peut pas se réveiller car elle n'a pas dormi. Elle a passé la nuit à compter les membres de sa famille dans la bergerie.

— Un mouton blanc, un mouton noir, un mouton brun, un mouton…

Mais cela ne l'a pas endormie du tout

parce que à chaque fois il lui manquait un petit.

— Où est passé mon mouton gris ?

Au petit matin, Mère Brebis n'y tient plus. Alors, elle mène ses trois petits à la garderie Fonfontaine et elle part à la recherche de son mouton disparu.

— Soyez sages, mes agneaux, maman sera de retour bientôt.

Compter ses moutons, ça va la nuit, pas le jour. Depuis le matin, Madame Brebis compte plutôt les dangers.

— Un boucher, deux couteaux, trois casseroles, quatre pièges, cinq chasseurs, six fusils, sept barbecues...

Et bing ! la brebis compteuse tombe museau à museau avec une fouine en imperméable. La fouine s'écrie :

— Vous pourriez faire attention ! Vous avez failli me faire avaler mon crayon…

— Pardon Madame. Je suis si inquiète, je n'ai plus toute ma tête et je ne sais plus où je mets les pieds.

— N'en dites pas plus, ma chère. Mon flair d'expert me dit que vous avez perdu quelque chose. On peut dire que vous êtes bien tombée.

La fouine salue et se présente :

— Vous êtes tombée sur la meilleure détective en ville, à la campagne et en montagne. Spécialité : vols, enlèvements et méfaits en tout genre. Joséphine la Fouine, pour vous servir.

2

Quelques questions

Joséphine est étonnée. Elle s'est présentée. Elle a offert ses services de détective. Elle est prête à secourir Madame Brebis. Mais cela ne semble pas rassurer la pauvre victime, qui se met à bêler :

— Où est-est-est-il ? Où est-est-est-il ?

Joséphine la Fouine a l'habitude des enquêtes qui démarrent à pleine vitesse. Elle en a déjà vu d'autres : des témoins qui s'excitent, des victimes qui paniquent. Elle a même déjà vu un coupable réclamer une enquête sur son propre méfait ! Ce n'est pas une brebis bêlante qui lui fera perdre son calme. Elle reprend donc tranquillement :

— Où est-il, en effet ? Où est mon précieux calepin ?

Mère Brebis est choquée par cette réponse, si choquée qu'elle en oublie de bêler.

— Qui vous parle de calepin ? C'est de mon fils qu'il s'agit. Mon petit Grisou chéri n'est pas rentré de la nuit. Il a sans doute été enlevé, maltraité, peut-être pire. Et vous, vous cherchez votre calepin ! Quel genre de détective êtes-vous donc ?

— Ne vous emportez pas, ma bonne Mère. Voyez plutôt : j'ai déjà retrouvé mon calepin. Il était tombé de ma poche lorsque vous m'avez bousculée. Maintenant, l'enquête peut commencer et elle ne va pas traîner.

Joséphine la Fouine questionne Brebis Mouton :

— À quelle heure l'agneau a-t-il disparu ?

De quel côté est-il allé ? Qui l'a vu en dernier ? Où avait-il l'habitude de se promener ?

Elle apprend ainsi que Grisou Mouton est parti vers sept heures en direction du ruisseau où il va boire tous les soirs. Elle note chaque indice dans son indispensable calepin, puis elle pose une dernière question :

— Personne n'accompagnait votre petit ?

— Oui, ses trois frères étaient avec lui, comme toujours. Blanco est parti d'abord, puis Noiro et Bruno, suivis de Grisou. Ils marchent toujours ainsi, à la queue leu leu,

du plus grand au plus petit. Ils sont revenus du ruisseau dans le même ordre : Blanco, Noiro, Bruno, mais pas de Grisou.

La détective marmonne en mâchouillant son crayon :

— Intéressant... Je vais interroger ces trois témoins.

Mère Brebis passe chercher ses petits à la garderie et elle rejoint la détective à la bergerie. Joséphine pose plein de questions aux trois moutons. Blanco Mouton répond :

— On n’a rien vu.

Noiro Mouton dit :

— On n’a rien entendu.

Bruno Mouton ajoute :

— On n’a rien senti non plus.

3

Plusieurs outils

Grisou était avec ses frères quand il a disparu. Pourtant, aucun des trois moutons ne peut fournir d'indices. Comme témoins, on fait mieux ! Mais tant pis, la détective ne s'avouera pas battue pour si peu. Elle range crayon et calepin dans ses poches et elle dit :

— Je vais examiner le lieu du crime. Il m'en apprendra sûrement davantage !

Elle demande à la famille Mouton :

— Si vous voulez bien me montrer le chemin. J'économise mon flair pour le moment où il sera vraiment nécessaire.

Et les voilà partis vers le ruisseau. Blanco d'abord, Noiro ensuite, puis Bruno, suivis de leur mère. Joséphine ferme la marche. Elle pourrait disparaître à son tour, personne ne s'en apercevrait. Les moutons suivent toujours les autres moutons sans se poser de questions, sans regarder plus loin que le bout de leur museau, ni devant, ni derrière.

Mais Joséphine ne disparaît pas, bien sûr. Elle a une enquête à mener, pas question de s'évanouir dans la nature. Même qu'en arrivant au ruisseau elle passe devant tout le monde.

— Halte ! Pas un pas de plus, sinon vous brouillerez toutes les pistes.

Son petit troupeau immobilisé, Joséphine se met au travail. Comme toujours, elle sort son crayon et son calepin de ses poches. Mais ce n'est pas tout. Elle fouille encore et elle déniche aussi une loupe, une règle, une balance de pêcheur et un microscope de poche.

Ainsi armée, elle ramasse des brins de laine, des blancs, des noirs, des bruns et des gris. Il y en a le long du chemin et au bord du ruisseau. Elle en trouve aussi plus loin, mais seulement des gris. Une conclusion s'impose :

— Votre petit est parti vers la forêt, Mère Brebis.

À ces mots, la famille Mouton bêle de surprise et d'inquiétude. Tous les moutons partagent leur vie entre les champs et leur bergerie. Quelques originaux jouent les touristes en passant l'été dans la montagne. Mais aucun mouton sain d'esprit ne s'aventure seul en forêt. Jamais !

4

Sur la piste

La situation est grave. Sans perdre une minute, Joséphine la Fouine prend sa loupe et se met à observer les pistes :

— Je vois beaucoup d'empreintes à deux gros doigts bien clairs…

Brebis Mouton s'impatiente :

— Évidemment, ce sont des empreintes de moutons.

Joséphine balaie l'impatience de la Mère Mouton d'un coup de calepin. Un bon détective doit tout noter. On ne sait jamais quel indice le mettra sur la bonne piste. Plutôt que de répondre, la fouine continue son examen.

— Je vois aussi d'autres empreintes, à quatre doigts celles-là. Je dirais même plus, à quatre doigts poilus et griffus.

La détective fouille de nouveau dans ses poches. Elle en tire un livre sur les champignons, un manuel sur les fleurs sauvages, un ouvrage sur les étoiles…

— Ah ! voilà enfin mon guide des empreintes d'animaux !

Elle le feuillette rapidement, puis elle précise d'un air savant :

— Ce sont des empreintes de mammifères quadrupèdes carnivores de la famille des canidés. Cela ne fait aucun doute.

Les yeux des moutons s'agrandissent soudain. Ils n'ont rien compris ! La détective propose alors un petit cours de zoologie.

— Un mammifère porte ses petits dans son ventre et les allaite. Un quadrupède marche sur quatre pattes. Un canidé possède des canines, c'est-à-dire des crocs, des grandes dents, quoi ! Et un carnivore mange de la viande, bien sûr. Par exemple, des cuisses de poulet, des steaks de chevreuil ou des gigots d'agneau…

Du coup, les yeux des moutons s'écarquillent encore davantage et la brebis se remet à bêler :

— Un lou-ou-ou-oup !

5
Un loup

Les moutons accusent le loup, rien d'étonnant à cela. Joséphine la Fouine le sait bien : les victimes voient des suspects partout et des coupables dans chaque suspect. Mais son travail de détective n'est pas d'accuser le premier suspect venu. C'est plutôt de trouver des preuves. Elle réfléchit :

— Les loups sont bien des canidés. On sait aussi qu'ils ont la mauvaise habitude de dévorer les fillettes au chaperon rouge, les chèvres qui s'appellent Blanchette et les moutons qui boivent au bord des ruisseaux.

— Allez donc interroger Messire Leloup, dit Madame Brebis.

— D'accord, répond Joséphine. Qui me sert de guide ?

Elle regarde Blanco, puis Noiro, Bruno et la Mère Mouton. Tous les quatre bêlent en secouant la tête d'un air terrorisé.

Madame la détective part donc la première… et la dernière ! Personne n'ose l'accompagner. Elle atteint rapidement la tanière du loup, qui l'accueille avec une grande politesse.

— Entrez donc, ma chère. Qu'est-ce qui me vaut l'honneur de votre visite, célèbre détective ?

Joséphine n'a pas le temps de répondre que le loup poursuit déjà :

— Prenez un siège, je vous en prie. Que puis-je vous offrir ? Vous boirez bien un petit verre de jus d'herbe fraîche. Je le prépare moi-même avec de la rosée.

Trois verres de jus plus tard, Joséphine réussit enfin à placer quelques mots :

— Êtes-vous allé au ruisseau hier soir ?

— Bien sûr, très chère amie, je vais me désaltérer à ce ruisseau chaque soir. Son eau est si pure. Il faut la préserver de toute pollution. Je suis d'ailleurs président de l'Association internationale de protection des gouttes d'eau.

Ce loup est un personnage important, respectable et attentif à la nature. Il n'est sûrement pas coupable. Joséphine n'a plus rien à faire chez lui. Elle prend donc congé :

— Excusez-moi de vous avoir dérangé, Messire.

— Ce n'est rien. Vous faites votre travail, Madame. Il ne vous reste qu'à aller le faire ailleurs. Et par ici la sortie !

6

Président-directeur général

Joséphine est déjà hors de la tanière lorsqu'elle se rend compte qu'elle a oublié son cher calepin dans la tanière du loup. Impossible de poursuivre son enquête sans lui. Elle retourne donc le chercher.

— Déjà vous ! s'exclame Messire Leloup en la voyant revenir.

Il a l'air gêné de quelqu'un qui se fait prendre la main dans un sac de biscuits au chocolat. Joséphine explique son oubli. Le loup est de plus en plus embarrassé. Il bafouille :

— Votre euh… calepin de notes ? Euh… non, je ne l'ai pas vu… J'euh…

— Mais oui ! l'interrompt la détective. Vous le tenez entre vos pattes. Cessez de le tordre, vous allez me l'abîmer !

Le loup est confus. Il dit qu'il ne sait pas quoi dire. Ça ne l'empêche pourtant pas de noyer la fouine sous un flot de paroles inutiles. Il parle de distraction, d'oubli et de bla-bla-bla. L'entendant parler d'oubli, la détective se rappelle justement qu'elle a oublié de poser une question très importante au loup. Elle prend son souffle comme pour plonger et elle réussit à l'interrompre.

— Avez-vous aperçu un agneau près du…

Elle ne peut pas terminer sa phrase. Déjà, Messire Leloup répond :

— Oui, j'ai vu un mouton gris, un imprudent qui se promenait seul dans la forêt, à la tombée de la nuit. De nos jours, il y a tant de dangers : des voyous, des chasseurs, des

bûcherons, des malfaiteurs, des gardes-chasse, des détectives, j'en passe et des meilleurs. Cette question me préoccupe beaucoup. C'est pourquoi je suis devenu directeur général du Regroupement mondial pour la sécurité des bois et des forêts.

Messire Leloup fait une pause d'un quart de seconde, juste le temps de coller une annonce sous le museau de Joséphine la Fouine. Elle y lit :

« Un, deux, trois,
Nous irons au bois.
Quatre, cinq, six,
Avec la police.
Sept, huit, neuf,
Sécurité bœuf ! »

Lorsque la détective relève les yeux, elle

est dehors. Le loup l'a mise à la porte sans même qu'elle s'en aperçoive ! Elle plie l'annonce et la range dans son calepin. Puis elle mâchonne son stylo. Elle ne sait pas pourquoi, mais elle n'arrive pas à quitter les lieux. Soudain, elle entend :

— Encore vous !

Messire Leloup vient de sortir à son tour.

Il a l'air surpris de retrouver Joséphine encore plantée devant sa porte. En le voyant, la détective comprend ce qui la retenait. Elle a encore une question sur le bout de la langue.

— L'agneau que vous avez croisé hier, euh…

Joséphine hésite à formuler sa question.

— Eh bien, l'auriez-vous, disons, goûté, croqué, dégusté, mâché, savouré, avalé ?

Le loup pâlit sous l'insulte.

— Quoi ? Vous m'accusez, moi, d'avoir mangé un agneau ? Jamais de la vie ! Pour qui me prenez-vous ? Apprenez, chère dame, que dans ma famille on est végétarien* de père en fils depuis douze générations. Je suis

* Un végétarien ne mange jamais de viande.

d'ailleurs le fondateur de la Fédération universelle des loups végétariens.

Des loups végétariens ! Joséphine est si étonnée qu'elle ne peut rien répondre.

— Justement, ajoute le loup en brandissant une invitation solennelle et personnelle. Justement, je vais être en retard à notre grande réunion annuelle. Excusez-moi encore, je dois vous quitter.

Avant qu'il ne détale, la détective réussit tout de même à poser une dernière question :

— Mais les empreintes de canidés… Ce sont bien vos empreintes que j'ai vues au bord du ruisseau, non ?

Le loup se fait soudain complice. Il revient vers la fouine et il lui chuchote à l'oreille :

— Si ce n'est moi, c'est donc mon frère…

Joséphine la Fouine fronce le museau. Elle a déjà entendu cette phrase quelque part, mais elle n'en comprend pas bien le sens. Messire Leloup ajoute :

— Je ne suis pas le seul canidé des environs. Allez donc rendre visite au chien de la ferme. Il est très agressif. Il aboie, il grogne, il hurle chaque fois que je passe à moins de cinq kilomètres de sa niche. Comme si la terre entière lui appartenait ! Heureusement qu'il est attaché, car il me fait un peu peur. Je songe à créer un Groupe de défense contre les chiens enragés…

7

Deux nouveaux suspects

Joséphine la Fouine est ravie de trouver un nouveau suspect. C'est vrai que les chiens sont des canidés, eux aussi.

— Pourquoi n'y ai-je pas pensé plus tôt ?

Dès qu'elle arrive à la ferme, elle entend des grognements qui confirment ses soupçons. Elle reste à une distance prudente et elle crie :

— Eh, le chien ! Où étiez-vous hier soir au coucher du soleil ?

Pour toute réponse, l'animal se contente d'aboiements bien sonores.

— De plus en plus suspect, pense Joséphine.

Elle s'approche pour montrer sa carte de détective. Cela calmera peut-être ce gardien trop zélé. Immédiatement, le chien rentre ses crocs. Il se met plutôt à battre l'air de sa queue en gémissant. La Fouine n'en demandait pas tant.

— C'est bien la première fois que ma carte produit autant d'effet !

Un bêlement dans son dos sort tout à coup la détective de ses réflexions.

— Mère Brebis, que faites-vous ici ? Surveillez bien vos petits. Il paraît que cette bête est enragée.

— Enragé, Charlie Chien ? C'est le meilleur berger que je connaisse. Voyez plutôt comme il joue gentiment avec mes enfants.

Joséphine comprend ses erreurs d'un coup d'œil. Première erreur : ce n'est pas sa carte de détective qui a changé l'humeur du chien. C'est l'arrivée de la famille Mouton. Deuxième erreur : ce n'est sûrement pas lui qui a attaqué Grisou Mouton. Même qu'il pleure en apprenant sa disparition. Même qu'il offre son aide pour démasquer le coupable. Charlie Chien demande à la détective :

— Êtes-vous vraiment convaincue que ce loup n'y est pour rien ?

— Je sais que vous ne vous aimez pas beaucoup tous les deux. Cependant, je vous assure que Messire Leloup est au-dessus de tout soupçon.

Le chien réfléchit un instant, puis il ajoute :

— C'est peut-être le renard. Son plat préféré est le poulet, mais il ne refuse pas une côtelette d'agneau bien cuisinée à l'occasion.

Quelques minutes plus tard, Rufus Renard reçoit la visite de Charlie Chien et de Joséphine la Fouine. Celle-ci montre sa carte de détective et elle explique le pourquoi de leur visite. Puis elle commence son interrogatoire. Le renard répond calmement, avec méthode.

— Premièrement, je ne suis pas allé boire au ruisseau hier. Quand il fait frais, je me contente de la rosée. Deuxièmement, je n'ai pas mangé d'agneau dans la soirée. Mon estomac est trop petit, je n'aurais pas pu le digérer. Aujourd'hui, je serais malade comme un chien.

Charlie n'apprécie pas trop la plaisanterie. Il répond :

— Ne joue pas au plus fin avec nous, Rufus. Tu as très bien pu avoir de l'aide pour finir ton assiette.

Le renard n'est pas troublé par cette remarque. Il continue son raisonnement :

— Troisièmement, Charlie Chien lui-même m'a croisé plusieurs fois aux alentours du poulailler entre sept et huit heures. N'est-ce pas ?

Joséphine se tourne vers le pauvre toutou qui bafouille :

— Euh... oui, en effet. J'avais, euh... oublié.

Charlie est si honteux qu'il s'enfuit vers la bergerie, la queue entre les pattes.

Cette fois, Rufus est vraiment content. Il termine avec un fin sourire :

— Quatrièmement, je ne suis donc pas coupable. Justement, quatre est mon chiffre chanceux. Au revoir, Madame la meilleure détective.

8

Nouvelle tactique

La fouine se retrouve toute seule. Elle est bien embêtée. Cette enquête semblait aussi claire que l'eau du ruisseau. Plus ça avance, plus ça s'embrouille comme de la purée de pois. Joséphine n'a pas le choix, elle doit changer de tactique. Finis les interrogatoires, bonjour la filature. Donc, elle va suivre les suspects jusqu'à ce que le coupable se dénonce. La seule interrogation de la détective, c'est :

— Par lequel vais-je commencer ?

Autant procéder dans le même ordre.

Surtout que la fouine est curieuse de rencontrer les amis de Messire Leloup. Un loup mangeur d'herbe, c'est déjà rare. Toute une bande de loups herbivores, c'est rarissime, c'est incroyable, c'est…

— C'est même suspect, à bien y penser, marmonne Joséphine.

Alors la détective se permet une deuxième interrogation :

— Comment vais-je le retrouver ? Je n'aurais pas dû le laisser filer. C'est le moment d'utiliser mon flair légendaire !

La fouine lève le museau, elle hume l'air, elle tâte l'odeur du vent. À droite, ça sent le renard. À gauche, ça sent le chien. Devant, ça empeste le mouton et derrière, ça pue le crottin.

— Ah ! On dirait que ça sent aussi le loup par là. Mais le loup végétarien, ça, je ne sais pas.

Une petite course, deux ou trois détours et quelques obstacles plus tard, Joséphine retrouve Messire Leloup. Quel choc ! Il est bien en compagnie de ses amis, pour ça il n'a pas menti. Pour le reste, c'est une autre histoire. À moins que ce qui bêle dans une petite cage derrière le barbecue soit un

troupeau de blocs de tofu* sur pattes... À moins que ce qui cuira bientôt sur le barbecue soit des brochettes de tofu format sumo*... Non vraiment, madame la détective n'a plus aucun doute. Elle vient de trouver le coupable, avec sa meute en prime.

Elle fouille dans ses poches. Elle jette son précieux calepin et son crayon mâchouillé. Elle éparpille sa règle, sa loupe, son microscope, sa balance et ses nombreux guides. Enfin, elle sort son lasso élastique. Elle le lance d'un coup de poignet expert en criant :

— Au nom de la loi, je vous arrête, tous !

---

* Le tofu est un pâté fait de lait de soya qui peut remplacer la viande.

* Un sumo est un très gros lutteur japonais.

9

Grisou et ses amis

— Et revoici votre petit Grisou, annonce fièrement Joséphine la Fouine.

La bonne humeur est enfin revenue à la bergerie de Lafontaine. Mère Brebis est si émue qu'elle pleure de bonheur. Blanco, Noiro et Bruno entourent Grisou et les autres moutons sauvés du barbecue. Tous ces agneaux sont excités comme des puces. Ils sautent par-ci, ils sautent par-là, ils sautent partout. Ils sautent, sautent, sautent-moutons !

Pendant ce temps, les animaux du village de Lafontaine se pressent autour de Joséphine pour entendre le récit de l'enquête et surtout de l'arrestation du coupable.

— Des coupables, en fait. Ils étaient toute une bande. Dès le début, je m'en suis doutée. Le loup a essayé de me faire avaler toutes sortes de salades. Évidemment, je n'ai pas cru ses bêtises, elles étaient trop louches.

Joséphine regarde autour d'elle. Les animaux sont tous là, les oreilles dressées, attendant la suite. Personne ne songe à la contredire. Elle poursuit :

— J'ai interrogé tous les suspects, pour que Messire Leloup ne se doute de rien. Ça lui a laissé le temps de rejoindre sa meute de soi-disant végétariens. Ils étaient tous à rire et à se goinfrer autour d'un énorme barbecue.

— Ooooh !

Les habitants de Lafontaine sont scandalisés. Mais ils n'ont encore rien entendu. Joséphine continue :

— Les pauvres agneaux étaient enfermés juste à côté. Et ils bêlaient ! Ça faisait pitié à entendre. Comme si ce n'était pas suffisant, les loups s'amusaient à leurs dépens en faisant des paris. Qui était le plus gros ? Qui serait mangé le premier ? Qui aurait le meilleur goût ?

— Aaaah !

Les habitants de Lafontaine sont horrifiés. Ils réclament la peau de ces loups, pas végétariens pour deux sous. Charlie Chien dit avec sagesse :

— Les loups sont carnivores, on ne peut pas leur en vouloir, c'est dans leur nature. Aux moutons d'apprendre la prudence. Mais les loups n'ont aucun besoin d'être hypocrites et cruels. Des loups comme ça, on n'en veut pas.

Les animaux reprennent, comme un slogan :

— Des loups méchants comme ça, chez nous on n'en veut pas !

Joséphine calme tout le monde :

— Les loups sont loin maintenant. Je les

ai envoyés à l'autre bout du monde, en Sibérie orientale.

Les habitants de Lafontaine sont soulagés. Ils félicitent et remercient la détective chacun à sa manière.

— Et voilà, conclut l'héroïne du jour en saluant la compagnie. C'est ainsi que se termine une autre enquête de Joséphine la Fouine, la meilleure détective en ville, à la campagne et en montagne. Pour vous servir, messieurs dames !

— Attendez, s'écrie Mère Brebis. Ne partez pas si vite. Les petits tiennent à vous embrasser. Allez, mes agneaux, mettez-vous en rang.

Grisou et ses amis se précipitent pour remercier leur bienfaitrice. Mais Blanco n'est pas content de se faire bousculer, ni Noiro, ni Bruno. Ils sont les plus grands, ils veulent passer devant. C'est ainsi que la chicane éclate. Joséphine la Fouine ne partira pas de sitôt !

L'énigme de Joséphine

Après la fête, quelqu'un a emprunté le précieux calepin de la détective sans sa permission. Qui est ce coquin ? Et pourquoi a-t-il agi ainsi ? Développe tes talents de détective en aidant Joséphine la Fouine à résoudre cet autre mystère.

Suspects

Blanco
Noiro
Bruno
Grisou

Indices

1. Le coquin est toujours suivi de son frère.
2. Il n'ouvre jamais la marche.

3. Il n’a pas un prénom de garçon.
4. Sa laine est foncée.

SOLUTION _ _ _ _ _

Tu connais maintenant le coquin qui a emprunté le calepin. Pour découvrir la qualité ou le défaut qui l’a poussé à agir ainsi, remplace chaque lettre par celle qui la suit dans l’alphabet.

B T Q H N R H S D

SOLUTION _ _ _ _ _ _ _ _ _

Réponse : Noiro a emprunté le calepin par curiosité, une grande qualité qui peut aussi être un vilain défaut !

Les Éditions du Boréal
4447, rue Saint-Denis
Montréal (Québec) H2J 2L2
www.editionsboreal.qc.ca

MISE EN PAGES ET TYPOGRAPHIE :
LES ÉDITIONS DU BORÉAL

ACHEVÉ D'IMPRIMER EN FÉVRIER 2000
SUR LES PRESSES DE L'IMPRIMERIE AGMV MARQUIS
À CAP-SAINT-IGNACE (QUÉBEC).